LENDAS PARA CRIANÇAS

POR MAURICIO DE SOUSA

Dados Internacionais de Catalogação na Publicação (CIP)
Angélica Ilacqua CRB-8/7057

Furtado, Paula
Lendas para crianças / Paula Furtado ; ilustrações de Mauricio de Sousa. -- Barueri, SP : Girassol, 2020.
160 p. : il., color.

ISBN 978-85-394-2472-6

1. Literatura infantil 2. Folclore - Brasil - Literatura infantil 3. Lendas - Brasil - Literatura infantil I. Título II. Sousa, Mauricio de III. Turma da Mônica

19-2226 CDD 028.5

Índices para catálogo sistemático:

1. Literatura infantil

GIRASSOL BRASIL EDIÇÕES EIRELI
Al. Madeira, 162 - 17º andar - Sala 1702
Alphaville - Barueri - SP - 06454-010
leitor@girassolbrasil.com.br
www.girassolbrasil.com.br

Diretora editorial: Karine Gonçalves Pansa
Coordenadora editorial: Carolina Cespedes
Assistente editorial: Talita Wakasugui
Pesquisa e consultoria psicopedagógica: Paula Furtado
Diagramação: Deborah Takaishi

Estúdios Mauricio de Sousa

Presidente: Mauricio de Sousa

Diretoria: Alice Keico Takeda, Mauro Takeda e Sousa, Mônica S. e Sousa

Mauricio de Sousa é membro da Academia Paulista de Letras (APL)

Diretora Executiva
Alice Keico Takeda

Direção de Arte
Wagner Bonilla

Diretor de Licenciamento
Rodrigo Paiva

Coordenadora Comercial Editorial
Tatiane Comlosi

Analista Comercial
Alexandra Paulista

Editor
Sidney Gusman

Adaptação de Textos e Layout
Robson Barreto de Lacerda

Revisão
Ivana Mello, Daniela Gomes

Editor de Arte
Mauro Souza

Coordenação de Arte
Irene Dellega, Maria A. Rabello

Produtora Editorial JR.
Regiane Moreira

Desenho
Denis Y. Oyafuso, Emy T. Y. Acosta, Mauro Souza

Arte-Final de Capa
Romeu Takao Furosawa

Cor
Giba Valadares, Kaio Bruder, Marcelo Conquista, Mauro Souza

Designer Gráfico e Diagramação
Mariangela Saraiva Ferradás

Supervisão de Conteúdo
Marina Takeda e Sousa

Supervisão Geral
Mauricio de Sousa

Condomínio E-Business Park
Rua Werner Von Siemens, 111
Prédio 19 – Espaço 01 - Lapa de Baixo
São Paulo/SP
CEP: 05069-010 - TEL.: +55 11 3613-5000

TURMA DA
MÔNICA ©
LENDAS PARA CRIANÇAS
POR MAURICIO DE SOUSA
MAURICIO DE SOUSA EDITORA
GIRASSOL
MAURICIO
LENDAS

SUMÁRIO

SACI

Era uma vez um saci... Um só? Não! Vários! Negrinhos, baixinhos e carecas, com dentes muito brancos e um gorro vermelho na cabeça. Ninguém sabe quantos sacis existem, mas o povo conta que todos eles nasceram no meio da mata, pulando numa perna só em uma noite de tempestade, após sete anos de "gestação" dentro de gomos de bambu.

Quando aparecia nas fazendas, em seus redemoinhos de vento, o saci ia logo fazendo muitas travessuras. Ele assustava todo mundo, dava nós na crina dos cavalos, estragava plantações e chegava até a atirar brasas nas pessoas! E o pestinha não parava de rir! O saci arrasava tudo, era um verdadeiro terror!

Um dia, um garoto resolveu dar um basta nessas estripulias. Ele aprendeu com o avô que, para capturar um saci, é preciso jogar um rosário de mato bento ou uma peneira dentro do redemoinho e pegar a carapuça dele.

Dito e feito! O menino prendeu o saci, que, para ter a carapuça de volta, prometeu nunca mais estragar as plantações daquelas bandas.

Promessa feita, o saci entrou em seu redemoinho de vento e sumiu. De vez em quando, o garoto vê nós na crina dos cavalos e uma ou outra porteira aberta, mas os ovos estão sempre nos ninhos e o leite da ordenha nunca mais foi perdido. Pelo jeito, ao menos um saci deixou de ser tão malvado e bagunceiro.

CURUPIRA

O Curupira tem cabelos vermelhos, dentes verdinhos, pés virados para trás e a altura de um menino de 7 anos. Muito forte e engraçado, ele é um dos maiores defensores da natureza e dos animais. Nem pense em persegui-lo! Ninguém consegue alcançá-lo. Ele pode correr tão rápido que a nossa visão nem consegue acompanhar.

Quando encontra homens que caçam por diversão na floresta, ele fica uma fera. Escondido entre as árvores, o Curupira grita e assobia até enlouquecê-los de tanto medo. Ele usa seus pés voltados para trás para despistar os caçadores. Ao seguirem suas pegadas, eles vão na direção errada e, sem rumo, se perdem na floresta.

Certa vez, um homem passou o dia fazendo armadilhas para os animais. Então, o Curupira aproximou-se furioso e exigiu explicações. Que história era aquela de espalhar arapucas pela floresta?

O caçador, com muito medo, tentou enganar o Curupira com uma mentira. Mas é claro que o protetor da natureza não gostou nadinha daquilo!

O Curupira, então, mandou o caçador recolher toda aquela tralha e dar o fora dali imediatamente! O homem logo guardou o material de caça que havia espalhado pelo caminho e nunca mais foi visto por aquelas bandas. Depois disso, os outros caçadores, que ficaram sabendo da história, aprenderam a nunca mais caçar nas matas do Curupira.

BOTO ROSA

Certa vez, um grupo de turistas que passeava pelo Amazonas quis conhecer a lenda do Boto Rosa. Um rapaz elegante e bonito, que também estava por ali e conhecia a lenda, explicou:

– O Boto Rosa é um animal que vive aqui nos rios da Amazônia. É muito brincalhão e atrai mulheres e crianças para os rios. Segundo a lenda, ele protege as pessoas quando há risco de afogamento – contou o rapaz.

– Mas o Boto Rosa também tem fama de conquistador. Nas noites de festa junina, transforma-se em um rapaz encantador, disposto a conquistar o coração da moça mais bela que encontrar. Ele sempre aparece todo vestido de branco e, para não descobrirem seu segredo, esconde o pequeno buraco na cabeça, pelo qual ele respira, com um chapéu.

– Quando uma moça engravida e os ribeirinhos descobrem que ela se encontrava secretamente com o Boto, a história rapidamente se espalha. Por isso, os maridos e namorados traídos odeiam o Boto Rosa. Eles capturam e matam esses bichos para fazer amuletos da sorte. E, infelizmente, essa parte da história não é lenda.

Ao terminar de contar a lenda, o turista que estava todo de branco disse que ia logo trocar de roupa, pois não queria ser confundido com o Boto. Quando o rapaz terminou de contar a lenda, ele se afastou do grupo. Então acenou e disse:

– Bom, aqui já é seguro tirar o chapéu. Afinal, eu não queria assustar o pessoal...

IARA

A sereia Iara é a protetora dos rios e da pesca. Também conhecida como "mãe das águas", ela é temida pelos homens que navegam, pescam e caçam nos rios do norte do país. Diz a lenda que Iara, antes de se transformar em sereia, era uma bela índia, que viveu durante anos em uma tribo daquela região.

Certo dia, Iara foi colher milho em uma nova plantação. Enquanto caminhava pela trilha, ficava cada vez mais maravilhada com a natureza.

Entusiasmada, Iara resolveu se banhar nas águas tranquilas e cristalinas que via. Ficou muito tempo brincando com os peixes e cantando com os pássaros. Horas mais tarde, esquecendo-se do trabalho, ela parou para descansar um pouco e adormeceu profundamente. Quando despertou, já era noite. Percebendo que não conseguiria voltar para casa, decidiu passar a noite ali mesmo.

Ao acordar e sentar na areia do Igarapé, a índia foi atacada por duas onças famintas. Tentando fugir do perigo, Iara correu para o rio e mergulhou nas águas. Ela nunca mais voltou à tribo e ninguém sabe ao certo o que aconteceu. Dizem que virou uma linda sereia que detesta ficar sozinha. Por causa disso, usa seu canto e sua beleza para atrair os homens que se aproximam dos rios, levando-os com ela para o fundo das águas.

Conta-se que, certa tarde, um índio derrubou o remo de sua canoa no rio. Corajoso, o jovem mergulhou e pegou o remo. Porém, quando ele estava subindo na canoa, Iara apareceu e começou a cantar. Hipnotizado pelo canto, o índio não conseguiu se afastar e foi nadando para os braços da Iara. O jovem afundou com ela, desaparecendo para sempre nas águas do rio.

Até hoje, poucos homens conseguiram voltar do fundo das águas, pois os encantos da sereia dos rios são irresistíveis.

MULA SEM CABEÇA

Desde o século 12, os padres católicos não podem se casar. Se quiserem fazer isso, eles precisam abandonar a batina.

Depois de muito pensar, um padre querido pelas beatas de uma cidade do interior decidiu largar a igreja e ir atrás de seu amor. Ele viajou até o povoado onde a linda moça morava. Ao encontrar a amada, surpreendeu-se com a terrível reação da mãe dela:

– Minha filha, você se apaixonou por um padre? Isso é terrível! Vocês não conhecem a história da mula sem cabeça?

A mãe da camponesa continuou, desesperada:

– Segundo a lenda, a moça que se casar com um padre vira mula sem cabeça numa noite de quinta para sexta-feira. Como o próprio nome diz, vira uma mula, mas não uma mulazinha qualquer, não! Ela é marrom ou preta e está sempre com alguns apetrechos, como ferraduras de aço ou prata. E mais: no lugar de sua cabeça, há uma tocha de fogo!

Mesmo assim, os namorados não deram importância à história. Depois de um tempo, numa tarde de quinta-feira, os jovens se casaram. Na mesma madrugada, a moça se transformou numa monstruosa mula sem cabeça, assombrando todo o vilarejo. Relinchando bem alto, a mula percorreu povoados atraída pelo brilho das unhas e dos dentes das pessoas. Por isso, quando viam a mula, todos se deitavam de bruços no chão, escondendo unhas e dentes para fugir do ataque.

A mãe da moça, que conhecia a lenda como ninguém e sabia como quebrar o encanto, agarrou o animal e, com muita coragem, arrancou os arreios de sua boca. Assim, o feitiço foi desfeito e os jovens puderam viver muito felizes!

Há quem diga que outros padres e outras moças não tiveram a mesma sorte. Por isso, nas madrugadas de quinta para sexta-feira, especialmente quando é lua cheia, algumas pessoas dizem ver e ouvir padres rondando os povoados, montados em mulas sem cabeça.

BOITATÁ

Muitos anos atrás, o céu de uma grande floresta escureceu de repente e começou uma terrível tempestade que ameaçou as espécies e inundou tudo. Animais e índios buscaram um lugar seguro para se protegerem. Boitatá, uma cobra esperta, escondeu-se em um buraco no alto de uma montanha e lá ficou, dormindo. Dias depois, ao despertar, percebeu que o céu já estava claro. Mas, por ter ficado tanto tempo no escuro, Boitatá não conseguia mais enxergar na claridade. Então, arregalou os olhos.

Dia após dia, o Boitatá absorvia mais a luz do sol. Como sua pele era muito fina, a luz deixou o corpo da serpente cada vez mais luminoso. Quando se arrastava por aí, parecia um facho de fogo na mata. Porém, Boitatá percebeu que tudo estava devastado, feio e sujo. Então, ele e os outros animais uniram forças para cuidar da floresta e reconstruir tudo. Pássaros, crocodilos, macacos e muitos outros animais trabalharam juntos: plantaram diversas árvores para recuperar a mata.

Depois de muito trabalho, a recompensa: lindas flores e árvores já podiam ser admiradas na floresta. Com a natureza recuperada, Boitatá pensava em descansar, mas a onça lhe deu uma notícia terrível: desmatadores estavam cortando, queimando e roubando árvores e plantas. Boitatá ficou enfurecido, correu para o centro da floresta e lá viu pessoas agredindo o meio ambiente. Revoltado, pensou em como aquilo tudo poderia provocar a extinção de espécies animais e vegetais.

Boitatá foi ficando cada vez mais nervoso, e a luz de dentro de seu corpo foi aumentando até transformá-lo em uma grande e encantada serpente de fogo. Boitatá partiu para cima dos criminosos, prometendo atear fogo em quem devastasse as matas. Assustados, eles fugiram em disparada. A partir desse dia, Boitatá ficou conhecido como o guardião da floresta e protetor da fauna e da flora, vigiando as matas brasileiras durante o dia e iluminando-as durante a noite.

LOBISOMEM

Um casal com sete filhas vivia numa cidadezinha. Então, nasceu um menino, e foi só alegria! Perto do 13º aniversário dele, uma das irmãs lhe contou uma história:

– Você já ouviu falar do lobisomem? Em uma família, quando o oitavo filho nasce homem e antes dele há sete mulheres, o menino se transforma em lobisomem ao completar 13 anos. Mas existe um lado bom: ele não morre nunca, não envelhece e nem fica doente. Só a sua aparência é assustadora… e ele ataca as pessoas quando se sente ameaçado.

Depois dessa conversa, passaram-se os dias e também o aniversário do menino. Como nada aconteceu, todos ficaram tranquilos. Mas o sossego durou pouco: na primeira sexta-feira de lua cheia, ao sair de casa e passar por uma encruzilhada, o garoto ouviu o badalar dos sinos. Era exatamente meia-noite! Então, aos poucos, ele foi se transformando em lobisomem. Logo ficou grande e peludo, tinha garras e presas imensas. E, pela primeira vez, uivou para a lua.

Depois da transformação, o lobisomem começou a correr sem parar. Tudo porque ele precisava visitar sete cemitérios antes do amanhecer. Se não fizesse isso, ficaria lobisomem para sempre.

E ele conseguiu! Antes de o sol nascer, voltou para casa como uma pessoa normal. Ou quase...

No dia seguinte, as pessoas comentavam o sinistro uivo de um lobo nas redondezas. Mas ninguém soube da transformação, e todos continuaram acreditando que a história do lobisomem era uma simples lenda.

Mas, certa vez, conversando com amigos sobre uma corrida que ia acontecer na cidade, o menino deixou escapar seu segredo:

– Não tem pra ninguém! Essa corrida é minha! Se consigo percorrer sete cemitérios em mais ou menos seis horas, ganho essa fácil, não acham?

Foi uma gritaria e cada um correu para um lado. Depois desse dia, o garoto fugiu, assustado, e o lobisomem nunca mais foi visto por lá. Mesmo assim, no mundo todo, há pessoas que dizem já ter ouvido o uivo do lobisomem… há até quem diga ter visto sua transformação!

NEGRINHO DO PASTOREIO

Nos tempos da escravidão, um garoto negro, apelidado de Negrinho, vivia numa fazenda do Rio Grande do Sul. Seu senhor era malvado e obrigava o garoto a trabalhar muito.

Certa vez, ele mandou o menino pastorear seus 30 cavalos e o alertou para que cuidasse do cavalo baio, o mais valioso. O Negrinho passou o dia pastoreando. Na volta, com frio e fome, parou para descansar e dormiu. Ao acordar, se assustou: os cavalos não estavam mais ali e uma grande tempestade estava chegando. Com dificuldade e debaixo de chuva, conseguiu reuni-los e começou a contar:

– 1, 2, 3, 4... 29... 29?! Está faltando um... É o cavalo baio!

O Negrinho decidiu levar os 29 cavalos de volta para a fazenda. O patrão, ao sentir falta de seu valioso animal, ficou furioso! E deu uma surra de chicote no menino.

Debaixo da chuva, com medo e chorando, o Negrinho saiu à procura do cavalo. Ele chegou a encontrar e laçar o baio, mas ele fugiu de novo.

Quando voltou para a fazenda sem o animal, o malvado patrão se enfureceu. Ele bateu muito no garoto. Em seguida, amarrou-o num tronco e o colocou em cima de um formigueiro. O Negrinho chorou muito e, depois de sofrer a noite toda, deu um suspiro e morreu.

Na manhã seguinte, para a surpresa do fazendeiro, o Negrinho estava lá, sem nenhum arranhão ou cicatriz das chicotadas ou as picadas de formiga. Ao lado dele havia a imagem de uma santa, o baio e os outros 29 cavalos.

Então, o fazendeiro se atirou no chão e implorou perdão a Negrinho e à santa, prometendo ser bom e ajudar a quem precisasse.

Sem dizer nada, Negrinho montou no cavalo baio e partiu, ninguém sabe para onde. Alguns contam que ele foi para o céu. Outros, que sua alma continua cavalgando e ajudando a quem precisa.

Os comentários sobre a morte do escravo logo se espalharam pela região, e as pessoas começaram a acender velas e a rezar pela alma do bom Negrinho.

Desde então, tropeiros e peões que viajam à noite contam aos amigos e familiares que já viram Negrinho cavalgar, passeando pelos pampas.

E tem mais, muita gente recorre a ele quando precisa de ajuda. É comum, por exemplo, ouvir histórias de pedidos que já foram atendidos. Na tradição gaúcha, o Negrinho do Pastoreio se tornou um anjo bom, e as pessoas pedem sua ajuda quando querem encontrar objetos perdidos.

VITÓRIA-RÉGIA

Conta-se que, em uma aldeia na Amazônia, um pajé tupi-guarani reunia os curumins todas as noites para contar histórias. Certa vez, um indiozinho perguntou sobre a origem das estrelas.

– As estrelas são moças bonitas que um dia se apaixonaram pela lua. Isso quer dizer que cada pontinho brilhante no céu já foi uma linda jovem – explicou o pajé, apontando as estrelas, que mais pareciam diamantes. Ele ia falando seus nomes e contando fatos curiosos sobre cada uma. – Agora, prestem atenção! Vou contar uma história que aconteceu há muitos anos, aqui mesmo, na nossa tribo.

Sentado ao lado dos indiozinhos, na margem do rio, o pajé apontou as bonitas plantas que boiavam ali e começou a contar:

– Aquela é a vitória-régia, a rainha das plantas aquáticas. Sabiam que ela, com suas folhas grandes e bordas altas, consegue suportar o peso dos curumins sem afundar? É de espantar, não? A primeira vitória-régia surgiu quando uma índia que queria muito virar estrela passou a perseguir a lua. Ela tentava chamar a atenção da lua de todas as maneiras.

– Nossos antepassados nos ensinaram que a lua é um guerreiro forte e valente, que ilumina a terra porque quer conquistar o coração das mais belas moças e levá-las para o céu, em forma de estrela.

– E a jovem não desistia. Dia após dia, procurava um lugar mais alto para subir. Mas a lua parecia não notá-la. Uma noite, muito triste e desiludida, a índia sentou-se à beira do rio para admirar as estrelas. Ao ver um grande reflexo branco no rio, acreditou que a lua tivesse, finalmente, vindo buscá-la e se atirou nas águas profundas. Durante dias, nossos índios procuraram a bela moça, mas ela nunca mais foi encontrada.

– Emocionada com o sentimento da jovem, a lua resolveu recompensá-la: transformou-a em uma estrela diferente. Assim nasceu a vitória-régia, a "estrela das águas", essa grande e bela planta que flutua com graça nos rios da Amazônia. À noite, as pétalas de sua flor perfumada se abrem para receber os raios do luar e encantam milhões de pessoas.

Os curumins adoraram a história e ficaram admirados ao saber que a vitória-régia pode atingir até dois metros de largura, e que ela não vive apenas nos rios da Amazônia, mas também em jardins botânicos de outros países.

CUCA

Certo dia, logo depois de sair da escola, um grupo de crianças decidiu acampar no meio da mata. O garoto mais novo estava com muito medo, pois eles não tinham avisado os pais sobre o plano.

As outras crianças ficaram zombando dele e decidiram que ele não iria mais participar da aventura. Então, passaram em suas casas, pegaram algumas coisas e foram para a mata.

Eles chegaram às margens do rio quase ao anoitecer. Estavam com fome e muito frio. Fizeram uma fogueira e comeram a pouca comida que tinham levado. Então, decidiram passar a noite contando histórias de terror.

Algum tempo depois, ouviram barulhos estranhos vindos da mata. Nessa hora, o mais velho lembrou-se de uma lenda que seus pais lhe contaram anos antes.

O menino contou que, no meio da mata, mora a Cuca, uma velha feia, parecida com um jacaré, que adora pegar crianças desobedientes. Logo em seguida, as crianças ouviram um grito muito alto, e o garoto lembrou-se de que a Cuca costuma berrar quando está irritada.

As crianças ficaram com medo e começaram a chorar, pois pensaram que a Cuca estava brava. Afinal, elas haviam desobedecido aos pais.

De repente, um deles viu dois pontinhos brilhantes na escuridão e pensou que fossem os olhos da Cuca. Mas eram apenas lanternas! O caçula, que tinha sido "expulso" da turma, contou sobre o plano para os pais, que se reuniram e foram para a mata atrás da garotada.

As crianças voltaram para casa com fome, com sede, cansadas, assustadas e, principalmente, arrependidas.

CABRA CABRIOLA

Numa casinha humilde, no campo, um casal muito simples conversava enquanto a filha deles brincava num canto e ouvia, curiosa.

– Mulher! Escutei uma história de arrepiar sobre uma tal de Cabra Cabriola! É um ser assustador, meio monstro e meio cabra, com dentes afiados, que solta fogo e fumaça pelo nariz, pelos olhos e pela boca. Dizem que ela já apareceu no Pará, no Ceará, em Pernambuco e em vários outros estados do Brasil.

– Nossa! Fico arrepiada só de ouvir falar! Dizem que ela ataca crianças que andam sozinhas na rua, coloca em um saco e leva para fazer sabão – falou a mãe.

– O pior é que a Cabra Cabriola, também conhecida como bicho--papão, entra nas casas procurando crianças malcriadas, mentirosas e desobedientes. Ela fica escondida no quarto, dentro dos armários ou debaixo das camas, e sai para assustar as crianças no meio da noite, cantando: "Sou a Cabra Cabriola e só assusto criança malcriada! Se não se comportar direito, levo você pra minha morada!" – cantou o pai, imitando a criatura.

No dia seguinte, a garotinha contou para seus amiguinhos da escola, do jeito dela, a história da Cabra Cabriola.

– Ela é horrível! Tem uma boca enorme e dentes muito afiados. Lança fogo pelos olhos, pelo nariz e pela boca. Quando chega a noite, ela entra nas casas e assusta as crianças desobedientes, mentirosas, as que brigam na escola e as que não fazem a lição. Meu pai também disse que, quando ouvimos o choro de uma criança à noite, a Cabra Cabriola deve ter passado na casa da malcriada.

– Mas não se preocupem! Em casa de criança obediente e estudiosa, ela não passa nem perto! – completou a garotinha.

A história se espalhou e as crianças, com medo, começaram a se comportar. Até suas notas melhoraram! Os pais e os professores ficaram espantados e nunca souberam o motivo daquela mudança tão radical, mas tão boa, entre os alunos. Já a Cabra Cabriola, triste com o desfecho desta história, continua esperando, até hoje, a próxima traquinagem das crianças.

JOÃO-DE-BARRO

João sempre foi um homem trabalhador, dedicado e responsável. Antes mesmo de o sol nascer, ele já estava trabalhando. João adorava construir casas aconchegantes, pensando no conforto das pessoas.

Era também muito caprichoso, por isso sempre escolhia muito bem os lugares para erguer as casas: todas deveriam estar voltadas para o sol, aproveitando melhor a iluminação natural.

Certa manhã, João recebeu uma triste notícia: a cidade vizinha tinha sido totalmente destruída por causa da guerra. Mesmo cansado por sua idade já avançada, João não teve dúvida: arrumou suas ferramentas e foi ajudar na reconstrução das casas.

Ele encontrou um lugar destruído e pessoas muito tristes, que não sabiam o que fazer.

Para piorar as coisas, os homens tinham partido com o exército; apenas mulheres, crianças e idosos ficaram na cidade, desamparados. Então, João trabalhava sem parar, e sentia um prazer imenso a cada moradia que terminava.

Porém, como já estava velhinho, começou a sentir muito cansaço e não resistiu: morreu enquanto construía mais uma casa.

A tristeza na cidade foi total. Os moradores não se conformavam com a perda daquele homem tão valoroso. Como ele morreu fazendo o que mais gostava, Deus mandou um lindo presente para ocupar seu lugar: um passarinho da cor da terra, que constrói lindas casas de barro voltadas para o sol nascente. Ele se chama joão-de-barro, em homenagem ao grande João!

A LOIRA DO BANHEIRO

Na escola, um garoto estava correndo para o banheiro quando um colega um pouco mais velho disse:

– Cuidado com a Loira do Banheiro!

– Q-que loira?

Vendo o menino parado e alarmado na porta do banheiro, o outro resolveu assustá-lo ainda mais, contando esta antiga lenda urbana que, por ser transmitida oralmente, sofreu modificações em cada região.

Muitos anos atrás, uma linda jovem loira preocupava muito os pais, pois não gostava de estudar. Ela só queria passear e fazer bagunça. Para piorar, inventava diversas mentiras para não ir à escola.

Quando seus pais descobriram suas mentiras e a proibiram de faltar à escola, ela inventou outro jeito de perder aula: ficar escondida no banheiro da escola e esperar o tempo passar. Um dia, dentro do banheiro, a jovem acabou caindo no sono.

Quando acordou, percebeu que estava sozinha na escola. A jovem, então, saiu correndo apavorada, escorregou, bateu a cabeça no chão e morreu. Desde então, dizem que ela assombra os banheiros das escolas. Segundo relatos assustadores, quando uma criança aperta a descarga três vezes seguidas, a loira surge cheia de sangue e com algodão no nariz.

Logo, alguns meninos saíram gargalhando do banheiro. Em seguida, um colega do jovem que contava a história, vestido de Loira do Banheiro, foi levado pelo braço por um professor, que o pegou tentando assustar os mais novos. Os espertinhos se deram mal, pois tiveram de passar o recreio todo escrevendo uma redação com o tema: “Não é certo assustar os amigos”.

UIRAPURU

No sul do Brasil, em uma tribo de índios valentes, um dos guerreiros era apaixonado pela filha do cacique. Os dois se conheceram numa festa da tribo e logo se apaixonaram, porém o cacique já tinha prometido que sua filha se casaria com outro guerreiro, e por isso o casal namorava escondido.

– Temos de contar para o meu pai sobre nosso namoro. Ele não vai nos perdoar se descobrir essa traição – disse a índia, aflita.

O guerreiro passou dias pensando em como contar sobre o namoro, e, infelizmente, o cacique descobriu antes e ficou furioso!

– Guerreiro não trai cacique! Filha de cacique já está prometida para outro homem! Vocês vão pagar por isso! Tupã, peço que o guerreiro que se apaixonou por minha filha se transforme em pássaro e passe o resto da vida voando pelas matas.

– Não, papai! Por favor, não faça mal ao meu amado! – a índia, desesperada, gritava.

Tupã atendeu ao pedido do cacique e transformou o guerreiro em um pássaro chamado uirapuru.

Triste por ter perdido a amada, o guerreiro, em forma de pássaro, cantava todos os dias ao amanhecer, bem perto da oca em que a índia dormia. Quando descobriu isso, o cacique reuniu os caçadores da tribo para capturarem o pássaro. Assim que soube da terrível notícia, a índia correu para avisar o pássaro. Ele precisava fugir.

– Não vou fugir! Ficar longe de você é pior que morrer! – exclamou o pássaro.

A índia insistiu, e o pássaro saiu voando até chegar ao norte do Brasil, na Floresta Amazônica, onde vive até hoje cantando seu amor!

Esta é a história do uirapuru, um pássaro raro, avermelhado, que não se mostra facilmente. O som de seu canto é tão bonito que, quando ele canta, todas as outras aves se calam.

Segundo a lenda, quem encontra um uirapuru pode ter qualquer desejo realizado, pois esse pássaro é o símbolo mágico da felicidade. E é por isso que os indígenas o respeitam tanto e transmitem sua história de geração para geração.

GRALHA-AZUL

Era mês de férias e as crianças estavam empolgadas no caminho do acampamento onde passariam o fim de semana. Chegando lá, ficaram surpresas: além de ter muito espaço para atividades e brincadeiras, o acampamento era cercado por lindos e enormes pinheiros.

A garotada foi brincar e logo viu uma ave caída perto de onde estava.

Um dos monitores de férias que passava por ali viu a cena e contou que aquela ave, antes chamada de gralha-preta, vivia no galho de um pinheiro. Um dia, ela ouviu o barulho de golpes de um machado e fugiu para o alto de uma nuvem. De lá, escutou uma voz pedindo que ela voltasse para perto da árvore e espalhasse suas sementes, ajudando, com isso, a reflorestar a região.

Se aceitasse a missão, teria o corpo coberto por um lindo azul-celeste, mas a cabeça continuaria preta. A gralha topou!

Dia e noite, ela plantava as sementes da araucária, pressionando o pinhão com o bico até ele entrar na terra. Como a sua plantação estava constantemente ameaçada, a gralha protegia as sementes camuflando-as com folhas, galhos e pedras.

Antes de o monitor dizer que a história tinha acabado, as crianças deram um grito de alegria.

Perceberam que a gralha-azul estava pronta para voar e continuar a tarefa de espalhar as sementes que, após virarem árvores, tanto embelezam a natureza.

Naquele dia, a garotada aprendeu uma lição importante: pequenas atitudes podem melhorar o mundo em que vivemos!

FESTA NO CÉU

Algumas crianças estavam brincando perto da lagoa quando apareceu um sapo. A garotada correu e gritou assustada. O sapo esticou a língua, abocanhou uma mosca e voltou pulando para a lagoa. A menina comentou:

– Vocês viram como é esquisita a pele dele? Parece toda remendada!

– Meu avô contou uma história que explica por que o sapo tem aqueles remendos na pele – disse o mais velho do grupo.

Há muitos anos, todos os animais que sabiam voar foram convidados para uma festa no céu.

O sapo achou isso uma injustiça e disse que iria pensar em uma maneira de também ir à festa.

Uma noite antes do evento, o sapo foi pulando, sorrateiro, até a casa do urubu, violeiro oficial das festanças, e se escondeu dentro de sua viola.

No dia seguinte, o urubu pegou a viola e voou até o céu. Chegou cansado, porque o instrumento estava mais pesado que o normal.

No entanto, como não percebeu nada, começou a tocar a primeira música. E o sapo, que tinha adormecido, roncou: "Rooonc"!

Os convidados caíram na gargalhada. O sapo acordou e saiu pelo buraco da viola.

Todos receberam o sapo com alegria. A festa seguiu animada, mas o urubu não conseguia se divertir, pois ainda não tinha se recuperado da vergonha que passou. No fim da festa, o urubu ofereceu carona ao sapo para voltar para casa. Mas, no meio do caminho, o urubu sacudiu a viola e jogou o sapo lá de cima. O sapo se esborrachou no chão e teve que ser todo remendado.

A LUA

Houve um tempo em que as estrelas e a lua não apareciam no céu. Por isso, os índios de uma aldeia distante não saíam de suas ocas depois que a noite começava a cair. Todos tinham medo do escuro, exceto uma linda e graciosa índia.

Ela era muito diferente de todos da tribo, pois tinha a pele clara. Por essa razão, ninguém queria ser amigo dela.

Todas as noites, a indiazinha saía sozinha para passear, desejando encontrar pessoas que pudessem se tornar suas amigas de verdade.

Certa vez, outra índia, que morria de inveja da linda moça, também decidiu enfrentar a escuridão. Mas, ao entrar na mata, ela pisou alguns gravetos e machucou os pés. Tomada de raiva e inveja, foi falar com uma cascavel que vivia ali pertinho.

A índia malvada pediu que a cascavel mordesse os calcanhares da outra indiazinha e a transformasse em uma mulher feia e velha. A cobra concordou, mas, quando foi dar o bote, quebrou os dentes, pois os pés da jovem estavam calçados com duas conchas.

Sem graça, a cascavel contou tudo para a linda índia, que ficou muito magoada e decidiu ir embora da aldeia.

Então, a indiazinha fez uma escada de cipó e pediu a uma coruja que a amarrasse no céu. Ela subiu e transformou-se na lua. Quando a índia invejosa viu o brilho da outra índia no céu, ficou cega e saiu correndo. A malvada caiu no buraco da cascavel e nunca mais saiu de lá.

A partir desse dia, os índios passaram a adorar a lua, que deixava as noites belas e iluminadas.

PIRARUCU

Desde pequeno, Pirarucu vivia fazendo maldades contra os índios de sua tribo. Sempre falava mal dos outros, criava intrigas e fazia fofocas. Por isso, ninguém gostava dele.

Ele só ficava feliz com a tristeza dos outros. Os pais tentavam lhe mostrar a importância de ter amigos, ser honesto, gentil e justo, mas o rapaz achava tudo aquilo besteira.

Quando cresceu, Pirarucu tornou-se um bravo guerreiro da tribo dos nalas, mas continuou orgulhoso, injusto, vaidoso e mal-intencionado. O deus Tupã, então, cansado das maldades e da arrogância do índio, resolveu dar-lhe uma lição.

Assim, Tupã pediu à deusa Luruauçu para mandar uma imensa tempestade sobre a região em que Pirarucu vivia, na floresta Xandoré.

Quando a terrível tempestade desabou sobre a floresta, Pirarucu estava caçando. Mas, arrogante como era, resolveu terminar o que estava fazendo para, depois, procurar abrigo. Então, a chuva se intensificou e a força do vento derrubou o índio no chão.

Em seguida, um raio partiu uma grande árvore e um de seus galhos acertou a cabeça de Pirarucu.

O jovem guerreiro desmaiou e a enxurrada o levou para as profundezas do rio Tocantins. Ele nunca mais foi visto. Isso porque, para ter certeza de que Pirarucu aprenderia a lição, Tupã o transformou em um peixe com enormes escamas e cabeça chata.

Deu certo: Pirarucu passou a viver em harmonia com os outros peixes e seres vivos que habitam os rios.

ONÇA MANETA

Em uma mata próxima a uma pequena fazenda, viviam uma onça e seus cinco filhotes. Como já estava acostumado com a presença dos animais nas redondezas, o fazendeiro nunca fez nada que pudesse assustá-los ou ameaçá-los.

Mas, certo dia, a onça escutou um barulho estranho ali pertinho. Eram carros! Ela, então, escondeu seus filhotes e foi ver de perto o que estava acontecendo.

Ao se aproximar, a onça viu que o fazendeiro estava discutindo com homens estranhos que haviam invadido suas terras. Eles eram caçadores que estavam ali com a intenção de capturar o belo animal.

Preocupado com a onça e seus filhotes, o dono da fazenda logo tentou impedir os caçadores, mas eles eram jovens e fortes, e o homem foi rapidamente dominado.

Após uma longa caçada, o fazendeiro, ainda amarrado, viu quando os homens entraram em seus carros levando os animais. Deu até para ouvir um dos caçadores dizer que a onça adulta tinha escapado, mas que ele tinha cortado uma das patas dela. Pior: o caçador estava levando os cinco filhotes! Depois desse dia, o fazendeiro nunca mais viu a onça por aquelas bandas.

Desde então, muitas histórias sobre a tal onça maneta passaram a ser contadas por caçadores que tentaram capturá-la sem sucesso. Diziam que sua força era assustadora e que ela atacava qualquer coisa que se aproximasse. Triste, o fazendeiro se lembrava da época em que aquele belo animal passeava feliz e tranquilo com os filhotes por suas terras.

NEGRO D'ÁGUA

Os pescadores da região Centro-Oeste do Brasil dizem que o Negro D'água é um homem alto e careca, com mãos e pés de pato e o corpo todo coberto por escamas.

Ele vive escondido sob as águas dos rios e costuma virar a canoa dos pescadores que se recusam a dar-lhe peixes. Depois disso, dá gargalhadas que podem ser ouvidas ao longe.

Mas nem sempre foi assim. Há muitos anos, o homem era um pescador simples, honesto e trabalhador. Até que, certo dia, apareceu na vila um homem oferecendo muito dinheiro para que os pescadores trabalhassem para ele.

O pescador desconfiou da proposta e não aceitou, porém seus amigos não quiseram escutá-lo e foram trabalhar para o homem.

Os outros pescadores começaram a ganhar muito dinheiro. Mesmo assim, o jovem estava feliz com a vida que levava com sua pequena canoa. O ganancioso forasteiro, no entanto, queria que todos na região trabalhassem para ele.

Então, certa noite, os antigos amigos chamaram o colega para um passeio, dizendo que estavam com saudade dele. O humilde pescador aceitou, feliz da vida.

Longe da terra, os pescadores jogaram o pobre no rio. A intenção era apenas dar um susto nele para fazê-lo mudar de ideia. Porém, tudo deu errado: o jovem bateu a cabeça na canoa e desmaiou. Seus antigos companheiros não conseguiram salvá-lo.

Depois disso, muitas histórias foram contadas a respeito do Negro D'água, que, segundo a lenda, traído pelos amigos, passou a assustar todos os pescadores.

A PRINCESA DE JERICOACOARA

Na linda praia de Jericoacoara, no litoral do Ceará, algumas crianças brincavam até que uma delas teve uma ideia: nadar até o farol que havia ali perto. Todos adoraram, pois, um dia antes, um pescador contou a lenda de que, naquele farol, morava uma bela princesa, que foi transformada em serpente dourada por um malvado bruxo.

E não era uma cobrinha qualquer! A princesa tinha a cabeça e os pés de mulher, mas o restante do corpo era como o de uma serpente.

O pescador também contou que, embaixo do farol, havia uma cidade com tesouros valiosíssimos. O homem que fosse até lá e salvasse a princesa da maldição tomaria posse de tudo e ficaria muito, mas muito rico!

A criançada se animou em ir até o farol, mas um dos garotos disse que só os meninos poderiam salvar a princesa, pois era muito perigoso e eles só conseguiriam entrar se a maré estivesse baixa. Mesmo tendo ficado muito bravas, as meninas foram deixadas para trás.

Perto do farol, o garoto metido a valente foi sozinho salvar a princesa, pois seus amigos ficaram com medo e voltaram para a praia. Então, quando forçou o portão, ele sentiu algo encostando em suas costas.

Quando olhou para trás e viu uma serpente enorme e dourada, o menino levou um susto tão grande que desmaiou. Caiu duro! Nesse instante, as meninas – que tinham feito uma fantasia de cobra para assustá-lo – deram a maior gargalhada.

Ao acordar, o menino percebeu que havia caído numa pegadinha e teve que aguentar, sem reclamar, todo mundo rindo do susto que ele levou!

A MANDIOCA

Em uma aldeia distante, vivia uma linda índia, jovem e alegre, que, certo dia, descobriu que estava grávida. Ela não conseguia entender como isso tinha acontecido, pois nem namorado tinha.

Assustada com aquela situação, a índia resolveu contar tudo ao seu pai. Ele ficou extremamente bravo e decepcionado e, por isso, passou a tratá-la de maneira rude.

Então, numa noite enluarada, o pai da índia sonhou com um homem branco, alto e com uma voz muito suave, que dizia que sua filha continuava pura de coração e alma. E mais: que ela poderia se casar com o pretendente que quisesse.

Assim que acordou, o velho índio pediu desculpas para a filha e disse que era muito feliz por tê-la em sua vida.

A jovem deu à luz uma linda menininha chamada Mani, que tinha a pele muito clara e era a alegria da aldeia. Entretanto, numa manhã de primavera, a tristeza se abateu sobre todos. Ao acordar, a índia percebeu que Mani não respirava. Tupã havia levado sua filhinha.

A mãe enterrou o corpo da menina dentro da taba da família, e todos os dias derramava ali muitas lágrimas de saudade.

Certo dia, nasceu sobre a cova de Mani uma linda planta, que nenhum índio conhecia. Pouco depois, a planta rachou a terra. A mãe de Mani, confusa, começou a cavar. Em vez de achar a filha, encontrou raízes grossas e brancas como o leite.

Essa planta passou a alimentar todas as tribos, e os índios decidiram chamá-la de mandioca, que significa "casa de Mani".

JURUTAUÍ

Na Floresta Amazônica, não havia um animal que não admirasse o canto de um lindo pássaro chamado Jurutauí. Todas as noites, do alto das árvores, suas doces canções embalavam o sono dos bichos da mata, que vinham de vários lugares só para ouvi-lo.

Certa noite, porém, enquanto soltava sua voz melodiosa, o Jurutauí olhou para o céu e se apaixonou pela lua.

Então, para tentar impressionar sua amada, o Jurutauí passou a cantar cada vez mais forte e a voar muito, muito alto.

Com o passar das noites, seu único pensamento era chegar pertinho da lua e cantar para demonstrar seu amor. Mas, depois de algumas semanas, o pássaro olhou para o céu e percebeu que sua amada parecia cada vez mais distante e nem dava bola pra ele.

Desesperado, o Jurutauí não teve dúvida: começou a cantar e a voar o mais rápido que podia em direção à lua. Mas, com tamanho esforço, suas asas começaram a fraquejar. Depois de alguns instantes, ele caiu bruscamente no chão.

Ao verem o belo pássaro ferido, os outros animais partiram em seu socorro, mas tiveram uma desagradável surpresa.

Quando se recuperou, o Jurutauí tentou cantar novamente para sua amada, mas sua voz estava rouca e terrível de se ouvir.

Os animais que o socorreram ficaram tristes, pois sabiam que, a partir daquele dia, não escutariam mais as suas belas canções. E por isso eles foram se afastando, indo cada um para seu cantinho. Agora, quando ecoa da floresta um canto rouco e triste, todos sabem que o Jurutauí está cantando.

A LENDA DOS DIAMANTES

Seu Romeu é um senhor simpático, sempre de bem com a vida, que mora em uma pequena cidade do interior do centro-oeste brasileiro, à beira de um belo rio. O que ele mais gosta de fazer é contar histórias para os turistas que visitam a região. E a sua história preferida é sobre um casal de índios apaixonados que viveu por aquelas terras há muitos e muitos anos...

Segundo a lenda, Itagibá (que significa "braço forte") era casado com a mulher mais bela da tribo, a índia Potira ("flor", na língua indígena). Um dia, enquanto pescava, ele ouviu gritos vindos da aldeia e imediatamente correu para lá.

Quando Itagibá chegou, viu que seu povo havia sido atacado por guerreiros de outra tribo. Então, reuniu os sobreviventes e partiu para contra-atacar os inimigos.

Ao se despedir de Itagibá, Potira não derramou uma lágrima sequer, apenas o acompanhou, com tristeza, enquanto ele partia.

Itagibá nunca voltou para a aldeia e a bela índia chorou durante toda a vida, esperando pelo seu amado à beira do rio.

Comovido, o deus Tupã transformou as lágrimas de Potira em belos diamantes, que se misturaram aos cascalhos e à areia no fundo do rio.

Sempre que conta essa história, seu Romeu fica muito feliz ao perceber que as pessoas realmente se emocionam com o amor eterno e verdadeiro que Potira sentia por Itagibá.

Então, ele presenteia cada turista com uma réplica de diamante e um pequeno pedaço de papel com a seguinte frase: “O amor é o bem mais precioso que o ser humano possui”.

COMO SURGIRAM OS BICHOS

Há muitos anos, os índios Ofayés viviam felizes em sua aldeia. Os homens pescavam, colhiam frutos e legumes, e as mulheres cuidavam da casa e dos pequenos curumins. Eles reverenciavam o sol como se fosse um deus e faziam festas em homenagem ao astro-rei para lhe dar oferendas e agradecer o sustento e a saúde da tribo.

Tempos depois, numa época em que havia falta de comida, os Ofayés se voltaram contra o sol, culpando-o pela fome. Revoltados, atiraram, em vão, flechas para destruí-lo. Em outra ocasião, tentaram queimá-lo vivo colocando fogo na floresta. O astro, porém, achou graça de tamanha tolice. O que os índios queriam queimar, se ele já vivia em chamas?

O sol resolveu se vingar. Para isso, chamou os índios e disse que os levaria a um lugar cheio de árvores frutíferas. Os índios, no entanto, disseram que estavam fartos de frutos e queriam animais para caçar. No entanto, ao chegarem à floresta e avistarem muitas jabuticabeiras, os índios subiram nelas e começaram a chupar as jabuticabas sem parar.

O sol desceu do céu, chacoalhou as árvores com força e gritou muito bravo:

– Vocês queriam caça? Pois agora terão!

De repente, o sol transformou todos os índios em diferentes animais: quatis, macacos, serpentes, veados e muitos outros. Revoltados, os animais subiram no topo das árvores e entrelaçaram suas copas, assim o sol nunca mais pôde entrar na floresta.

BICHO-HOMEM

Certa vez, um grupo de estudantes de Arqueologia viajou ao sul do país em busca de pistas sobre os dinossauros. Antes de começarem a escavação à procura de fósseis, os jovens foram dar um passeio para conhecer a região: um vale com imensas montanhas, rios e muitas árvores. Todos estavam realmente encantados com a beleza do lugar.

Na escavação, um jovem encontrou uma enorme pegada redonda, mas só de um pé! Pior: no mesmo instante, ouviu um grito horroroso vindo do alto da montanha. Assustado, ele correu para perto do grupo. Juntos, todos ouviram outro grito e resolveram sair depressa dali. Foi quando apareceu um senhor baixinho usando chapéu e bengala, que começou a contar uma história.

O velhinho contou que, naquele vale, vive há muito tempo uma criatura chamada bicho-homem! Ela é gigantesca, tem apenas um olho, um pé redondo e, nas mãos, dedos longos com unhas bem compridas; além, é claro, de soltar um grito assustador. O monstrengo foi expulso do lugar em que vivia, pois pensavam que era feroz e poderia machucar alguém. Então, encontrou aquele vale e passou a cuidar da região.

O bicho-homem é realmente muito feroz, mas só com quem ameaça destruir a natureza ou tenta capturá-lo.

Então, os jovens disseram que estavam apenas fazendo pesquisas arqueológicas e que jamais iriam agredir a flora e a fauna locais ou machucar a criatura.

O senhor sorriu, dizendo que o bicho-homem já sabia disso. Nenhum deles corria perigo.

JAPIM MÁGICO

Há muitos anos, na Amazônia, vivia uma tribo feliz e trabalhadora. As mulheres cozinhavam, cuidavam das crianças, plantavam e colhiam. Os homens caçavam e pescavam. Todos os meses havia festas e eles dançavam para Tupã. Porém, certa vez, uma terrível doença se espalhou pela aldeia. Cheios de fé e esperança, os índios pediam ao deus Tupã para mandar a cura.

Tupã, então, enviou para a aldeia um lindo pássaro preto, batizado de Japim.

Ele tinha algumas penas amarelas e um canto suave e doce. Os índios ficaram maravilhados e agradecidos pelo presente, mas pensaram que Tupã enviara o pássaro apenas para distraí-los e confortá-los. Eles não sabiam que o canto do Japim era mágico e curava qualquer mal. Em pouco tempo, toda a tribo se recuperou.

Quando Tupã quis levar o pássaro de volta, os índios pediram para que o Japim ficasse na aldeia. Todos passaram a venerar a ave, e, por isso, ela ficou exibida e esnobe com os outros pássaros, imitando-os e fazendo gozações. Ao ver aquilo, Tupã decretou:

– Já que gosta tanto de imitar os outros, você vai perder seu canto mágico. Daqui por diante, é isso que será: um imitador de pássaros.

Quando souberam da história, os outros pássaros perseguiram o Japim e zombaram dele. Cansado da situação, Japim pediu aos marimbondos que construíssem casas perto de seu ninho para manter os outros pássaros afastados. O Japim perdeu seu canto mágico, mas ainda hoje é admirado pelos índios que se lembram de sua lenda.

O MILHO

Em uma pequena aldeia de índios guaranis, todos viviam felizes. As mulheres cozinhavam e cuidavam das crianças, os mais velhos contavam histórias e os jovens guerreiros caçavam e protegiam o lugar.

Mas, infelizmente, a aldeia começou a passar por dificuldades. Os frutos sumiram das árvores, os peixes desapareceram dos rios e não havia mais animais para caçar.

Já sem forças, os mais velhos passavam os dias deitados nas redes. As crianças, famintas, cochilavam o tempo todo. As mulheres não tinham mais o que cozinhar, pois os jovens guerreiros voltavam da caça e da pesca sempre de mãos vazias.

Cansados desse sofrimento, dois valentes guerreiros resolveram pedir um novo alimento ao grande espírito Nhandeyara.

Ao anoitecer, o mensageiro de Nhandeyara surgiu e disse que eles seriam atendidos pelo grande espírito, mas para isso teriam que lutar contra ele até que o mais fraco dos dois morresse.

Os índios aceitaram enfrentar o mensageiro para salvar a aldeia. Eles lutaram com todas as forças, até que um deles caiu. O amigo tentou ajudar, mas era tarde demais.

O guerreiro que sobreviveu, muito triste, enterrou ali mesmo o melhor amigo. Tempos depois, quando chegou a primavera, uma planta de folhas verdes e espigas douradas brotou de sua cova.

Em homenagem ao índio que se sacrificou pela aldeia, o novo alimento recebeu seu nome. É por isso que, entre os indígenas, o milho é conhecido como "Auaty".

MÃE DE OURO

Numa cidade chamada Rosário, no Mato Grosso, às margens do rio Cuiabá, havia um rico fazendeiro que tinha muitos escravos e ganhava a vida com mineração de ouro.

Na fazenda, vivia Pai Antônio, um escravo muito velho, que estava amedrontado porque há algum tempo não conseguia achar nenhuma pepita de ouro e temia ser castigado.

Desolado, Pai Antônio embrenhou-se na mata e começou a chorar. De repente, surgiu em sua frente uma linda mulher, de pele muito clara e cabelos cor de fogo.

– Por que choras, Pai Antônio? – perguntou a mulher.

E o velho contou a sua aflição.

– Não se preocupe, amigo. Apenas traga um espelho e três fitas de cabelo: uma azul, uma vermelha e uma amarela.

O velho correu até o armazém, comprou as encomendas e levou para a mulher. Ela colocou as fitas no cabelo e disse:

– Vá trabalhar e não conte nada a ninguém.

Pai Antônio voltou ao trabalho, encontrou muito ouro e levou para o patrão, que, em vez de ficar contente, mandou amarrar e castigar o velhinho até que ele contasse onde encontrou tanto ouro.

O velho levou o patrão até o local, e os escravos começaram a cavar imediatamente. Eles acharam uma grande pedra de ouro. Quanto mais cavavam, maior e sem fim era a pedra. A mulher apareceu novamente e chamou Pai Antônio. Quando ele se aproximou dela, ouviu um grande estrondo, as paredes do buraco desabaram, engolindo o patrão e seus escravos.

BUMBA MEU BOI

Todo ano, famílias do Brasil inteiro vão ao Amazonas para assistir à famosa festa do Bumba Meu Boi, no Festival de Parintins, uma das mais ricas e populares festas do folclore brasileiro. Entretanto, segundo a lenda, a festa começou na região onde hoje fica o estado do Piauí.

A história, contada de geração em geração, começa com um criador de gado muito rico, dono de um boi de raça, bonito e querido por todos.

O mais engraçado é que o boi sabia dançar, e isso era motivo de festa todas as noites. Muitos índios e vaqueiros trabalhavam na fazenda, entre eles, um empregado antigo e fiel, conhecido como Negro Chico ou Pai Chico.

Quando a mulher do Pai Chico, Catarina, ficou grávida, ele fazia todas as vontades dela, pois seu maior sonho era ser pai. Certo dia, ela acordou com desejo de comer a língua do boi do patrão.

Temendo que a mulher perdesse o bebê, Chico roubou o boi. Quando deu falta de Chico e do boi, o patrão mandou os vaqueiros e os índios procurarem por eles.

Pai Chico e o boi foram encontrados, mas o boi estava muito doente. Então, foram chamados os pajés para curar e reanimar o animal, que levantou e dançou alegremente. Quando soube o motivo do roubo, o patrão perdoou Pai Chico e a festa recomeçou.

Desde então, a festa do boi dançarino se espalhou pelo Brasil, com variações de nome, ritmo e apresentação, mas sempre encantando as pessoas.

CHORO DO IPÊ

Em uma linda floresta havia muitos animais, todos vivendo em harmonia com a natureza. Existia lá também uma árvore especial, que dava um colorido diferente à paisagem. Era o ipê, uma árvore de flores amarelas admirada por todas as pessoas, muito querida pelos animais e protegida pelas fadas.

Naquela floresta também vivia um caçador que perseguia os animais por pura diversão.

Como as criaturas daquele lugar encantado eram unidas e muito espertas, ajudavam-se umas às outras, fazendo esconderijos ou despistando o malvado. E ainda contavam com a proteção das fadas, que cuidavam de todos os seres vivos com amor e dedicação.

O caçador, que só queria saber de fazer maldades com todas aquelas criaturas indefesas, estava sem nenhuma diversão, já que os animais sempre conseguiam escapar dele. Por isso, foi ficando cada vez mais bravo e furioso. Certo dia, de tão irritado que estava, resolveu acabar com a floresta inteira!

O caçador saiu de casa com um machado. Quando ia cortar a primeira árvore, um vento estranho soprou em sua direção. Num passe de mágica, uma linda fada apareceu e, com seus encantos, transformou o malvado caçador em uma árvore de ipê.

Até hoje, nas florestas, quando a noite chega, pode-se escutar o choro do caçador, arrependido de tantas maldades.

SANTO ANTÔNIO

A roça estava em festa para o casamento de Ana e João. Na hora em que a noiva foi jogar o buquê, as solteiras correram para pegá-lo.

Jurema foi a felizarda: ela seria a próxima a se casar. Contudo, logo Jurema ficou triste, pois ela não tinha um noivo. Ana consolou sua amiga dizendo que, se ela pedisse a Santo Antônio, ele lhe arrumaria um noivo.

Jurema quis saber mais sobre o santo casamenteiro e perguntou aos seus pais. Seu Nestor, então, contou a seguinte história:

– Há muitos anos, uma jovem, que queria demais se casar, ouviu dizer que havia um santo que encontrava coisas perdidas. Como achava que seu futuro marido estava perdido pelo mundo, comprou uma imagem do santo e colocou-a num oratório.

– A jovem rezava diariamente pedindo um marido. Passaram-se semanas, meses, anos... e nada. Num ato de desespero e raiva, ela jogou a estatueta pela janela, atingindo um jovem que passava distraído pela rua. Indignado, o jovem apanhou o santo, intacto, e levou-o até a casa da moça. Quando abriu a porta, a jovem julgou que aquilo fosse um milagre.

– Os jovens se apaixonaram na mesma hora e, depois de algum tempo, se casaram. A história se espalhou pelas redondezas e todas as moças solteiras quiseram comprar uma imagem do santo casamenteiro.

"O Dia de Santo Antônio é 13 de junho; nessa data, as moças fazem simpatias para encontrar o seu futuro marido.

"Gostou da história, filha? Filha, cadê você?

SÃO JOÃO

Na festa de São João, todos dançam quadrilha, se deliciam com comidas típicas e se divertem. Algumas meninas usam tranças e fita no cabelo. Certos meninos usam camisa xadrez, bota e chapéu de palha. No fim da festa, todos sentam em volta da fogueira para ver a queima de fogos. Foi nessa hora que um neto perguntou ao seu avô:

– Como nasceu a festa de São João?

– Certa tarde, Santa Isabel foi à casa de sua amiga Nossa Senhora e contou-lhe que estava grávida de um menino, e que daria a ele o nome de João. Nossa Senhora ficou feliz, mas como ela iria ficar sabendo do nascimento do menino? Santa Isabel disse que acenderia uma fogueira e ergueria um mastro com um boneco no alto.

– Quando Nossa Senhora viu, ao longe, a fumaça e as chamas vermelhas, foi à casa de Isabel para conhecer João. Isso aconteceu no dia 24 de junho. Assim, todos os anos, nessa data, São João é festejado com mastro e fogueira, entre tantas outras homenagens.

"Mas a queima de fogos tem uma explicação diferente...

– Zacarias, marido de Isabel, andava triste porque queria muito ser pai. Um anjo apareceu e lhe disse que seu desejo se realizaria. Zacarias ficou tão feliz que emudeceu. Entretanto, quando o bebê nasceu, o pai gritou: "João!". Todos ficaram felizes com o acontecimento, gritaram e riram de alegria. Foi um barulho enorme, assim como o barulho dos fogos de artifício soltos na festa.

A ORIGEM DAS FRUTAS

Durante a primavera, enquanto os homens de uma aldeia da Amazônia saíam para caçar, as mulheres e as crianças colhiam frutas. Certo dia, depois de colherem jabuticabas do pé, elas se sentaram à sombra da árvore para comer as frutas. Observando a semente da jabuticaba, uma indiazinha perguntou à mãe o que era e para que servia.

– É uma semente. Depois que a plantamos, dela nasce uma nova árvore.

– Mas, se toda árvore vem de uma semente – continuou a indiazinha –, de onde veio a primeira de todas as sementes?

– Ah, isso é obra de Uansquén, o grande espírito das árvores.

Os outros indiozinhos se aproximaram, curiosos, e a índia começou a contar uma linda história:

– No início do mundo, os homens e os animais comiam apenas capim, grama e folhas verdes...

– O vento espalhava um cheiro doce no ar que dava água na boca, mas ninguém sabia de onde ele vinha. Um dia, enquanto cuidava de sua horta, uma índia viu um roedor atacando suas folhas. Pegou o danado e logo sentiu aquele delicioso cheiro doce. A índia prometeu não fazer mal ao roedor, desde que ele contasse o segredo daquele cheirinho.

– O animal levou os índios até uma árvore repleta de frutas bonitas e perfumadas. Todos quiseram derrubá-la para comer os frutos, mas Uansquén gritou:

'Se quiserem comer frutas, terão de aprender a plantá-las!'

"Uansquén ensinou os humanos a plantar, e assim as frutas passaram a fazer parte da nossa alimentação.

PEIXE-ELÉTRICO

Às margens do rio Amazonas, um grupo de curumins saiu para pescar com seus pais pela primeira vez. Eles receberam instruções de como usar a lança e sobre os cuidados que deveriam ter com alguns peixes. De repente, surgiu um peixe estranho, e o índio mais velho logo avisou que ele era perigoso, pois soltava descargas elétricas. Era o poraquê.

Um curumim curioso quis saber por que o peixe é elétrico.
O velho índio, então, contou a seguinte história:

– Poraquê era um índio valente de uma aldeia que ficava às margens do rio Amazonas. Era o mais forte e o melhor caçador, insuperável no arco e flecha. No entanto, o ambicioso índio também queria ser o maior guerreiro do mundo.

– Para isso, ele precisava fazer algo extraordinário. Poraquê tentou dominar o fogo, mas se queimou. Tentou comandar os rios, mas Iara, a rainha das águas, mandou uma pororoca contra ele, e o derrotou. Então ele subiu a montanha mais alta, pegou o relâmpago do deus Trovão e fez uma arma chamada borduna, capaz de invocar raios.

– Poraquê tornou-se invencível com sua nova arma. Certa vez, derrotou milhares de inimigos que invadiram sua aldeia, numa luta que durou meses. Depois, quando foi lavar a borduna no rio Amazonas, um raio caiu na água e o transformou num peixe feio que solta descargas elétricas. Essa foi a lição que Poraquê recebeu por tentar dominar a natureza.

COMO SURGIRAM OS VAGA-LUMES

Numa linda noite, em um acampamento escolar, equipes de crianças brincavam de caça ao tesouro. De repente, elas encontraram centenas de pontinhos que piscavam sem parar e se encantaram com o espetáculo. O monitor disse que os pontinhos de luz eram vaga-lumes, e contou às crianças a história de como eles surgiram na terra:

– Diz a lenda que, no início dos tempos, o mundo era escuro e Deus esculpia os astros e planetas em diamantes. A poeira luminosa que saía dos planetas formava a Via Láctea e outras nebulosas. Quando Deus olhou para o planeta Terra, notou que parte da poeira luminosa caía no meio das matas em forma de chamas.

– Desconfiado de que a chama fosse maligna, Deus desceu no meio das matas. Quando a chama viu Deus, chorou e pediu que não a destruísse. Explicou que vinha do espaço e que era sobra da formação dos planetas. Deus quis libertar as chamas, mas como temia que elas queimassem as matas, juntou as palmas das mãos e partiu-as em milhares de pedacinhos.

– Quando Deus tocava as chamas, elas se dividiam, transformando-se em seres vivos. Como ficaram abafadas em suas mãos por um tempo, sua luz acendia e apagava. Deus as chamou de vaga-lumes, pois vagavam pelas matas.

De repente, essas crianças ouviram os gritos da outra equipe comemorando a descoberta do tesouro. Entretanto, foram eles que encontraram o verdadeiro tesouro.

POR QUE OS GALOS CANTAM?

Certo dia, o rei leão ofereceu uma grande festa a todos os animais da floresta. A festança foi marcada para o domingo, ao amanhecer, e todos os convidados já deveriam estar presentes antes de o rei chegar. Quando clareou o dia, a casa do rei estava cheia. Todos os convidados compareceram, menos o galo e seus parentes.

Ao perceber a ausência do galo, o rei, furioso, mandou dois gambás buscarem-no. Quando eles entraram no galinheiro, as galinhas, em desespero, cacarejaram e fugiram. Nesse momento, a ave acordou, espreguiçou-se e perguntou o que estava acontecendo.

– O rei mandou buscarmos você para a festa, seu irresponsável – disse um dos gambás.

Quando o galo chegou à casa do leão, foi logo se desculpando:

– Perdão, Majestade! Me desculpe.

– Como pôde recusar o meu convite? A partir de hoje, você não poderá mais dormir à noite, somente depois do nascer do sol. Cantará à meia-noite e ao amanhecer. Se dormir e esquecer de cantar, sua família será transformada em comida de gambá – sentenciou o rei.

O galo ficou feliz com a resolução do rei leão e, para não se esquecer de que deveria cantar à meia-noite, passou a cantar também ao meio-dia.

Assim, daquele dia em diante, o galo cumpriu pontualmente a ordem do rei. Essa tarefa foi passada para as gerações seguintes, e os galos nunca mais deixaram de cantar na hora combinada.

VAQUEIRO MISTERIOSO

Numa fazenda do sertão brasileiro, um menino de 9 anos sonhava em ser o vaqueiro mais famoso de todos. Sempre que podia, seu pai, um fazendeiro muito simples, levava o filho para ver os torneios. Às vezes, o pequeno ficava tão cansado que dormia no colo do pai; mesmo assim, eles só voltavam para casa no final da competição.

O garoto cresceu e se tornou vaqueiro. Certa noite, chuvosa e fria, seu pai foi recolher o gado que estava no pasto e nunca mais voltou. Desesperado, o rapaz montou em seu cavalo e foi à procura do pai, mas não conseguiu encontrá-lo. Todas as noites, ele sonhava que seu pai participava das competições e sempre era campeão.

Uma vez, quando foi à cidade, o rapaz ouviu a história de um vaqueiro que vencia todos os torneios. Logo depois, um amigo o convidou para ir ao rodeio. Chegando lá, em meio a uma nuvem de poeira, surgiu um velho vaqueiro montando um velho cavalo. O coração do jovem bateu forte, impressionado com o vaqueiro misterioso.

Todos tentaram entrevistar o velho vaqueiro e entregar-lhe o prêmio, mas, como das outras vezes, o vaqueiro misterioso sumiu, sem deixar pista. Naquela noite, o jovem sonhou com seu pai, que lhe dizia para nunca desistir de seus sonhos. Ao acordar, viu o chapéu do pai ao lado da cama. Emocionado, colocou o chapéu e foi treinar para se tornar o melhor vaqueiro de todos os tempos.

AOS PAÍS E EDUCADORES

O folclore brasileiro é fruto da "miscigenação" entre os saberes tradicionais dos nativos indígenas, povos africanos e europeus. Dessa união, nasceram as nossas lendas.

A função educacional do folclore multiplica sua força quando essa terra que precisa ser amada tem dimensões continentais como a nossa. Com uma diversidade cultural como poucas no planeta, com etnias e povos de todos os cantos do mundo, círculos migratórios levaram milhares de pessoas a mudarem de cidade, região ou país em busca de novos sonhos. Por isso é que o Brasil precisa mais do que nunca ter suas crenças e cultura enraizadas.

Em muitos outros países, o folclore se limita a preservar o legado cultural da nação e, consequentemente, criar afeto por sua terra natal. Mas, por aqui, ele ultrapassa fronteiras.

Ensinar o folclore nas escolas promove o intercâmbio da sabedoria e da arte popular entre as diversas regiões do Brasil.

Mas não é apenas na capacidade de formação do caráter nacional e na eliminação de preconceitos e discriminações que o folclore pode contribuir com o sistema educacional de um país.

O folclore se caracteriza como uma excelente ferramenta interdisciplinar, contribuindo para o aprendizado das matérias ministradas no Ensino Fundamental.

Com essas premissas e com base nos princípios da Base Nacional Comum Curricular e dos Parâmetros Curriculares Nacionais que fundamentam a importância do folclore na construção da identidade social de um povo, este livro tem como objetivo que a criança seja capaz de:

- Conhecer a diversidade etnocultural do país;
- Reconhecer e valorizar as qualidades da cultura brasileira;
- Vivenciar a própria cultura por meio de diferentes manifestações folclóricas;
- Trabalhar com lendas e personagens brasileiros, sem a necessidade de "importar" mitos;
- Fortalecer sua autoimagem por meio dos (heróis) personagens folclóricos brasileiros;
- Conhecer o Brasil nas diferentes dimensões sociais e culturais para construir uma identidade nacional, desenvolvendo o sentimento de "pertencer" ao país.